米芾墨蹟選（四）

彩色放大本中國著名碑帖

孫寶文 編

拜中岳命作

芾　雲水心常結風塵

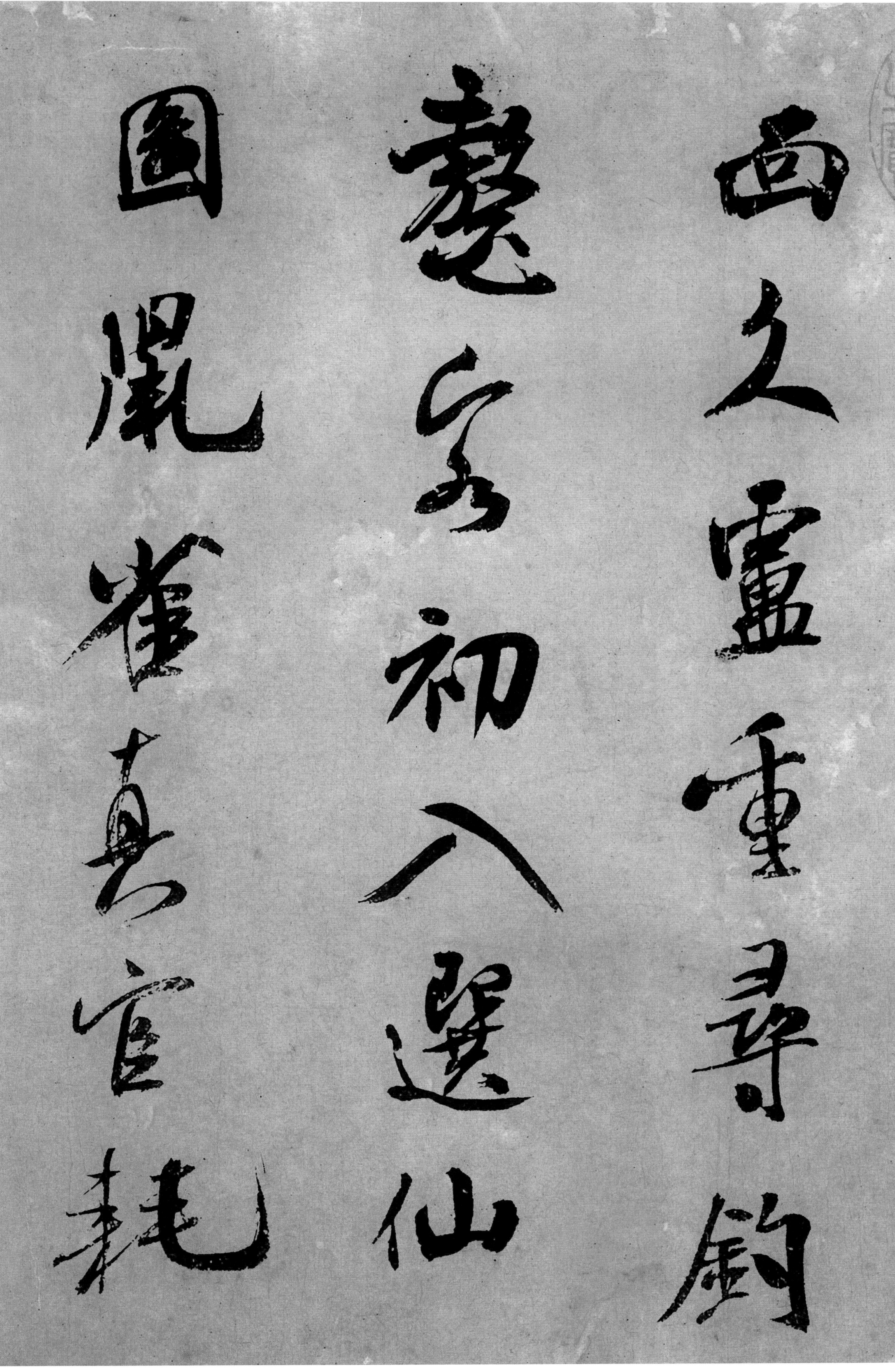

面久廬重尋釣鰲客初入選仙圖鼠雀真官耗

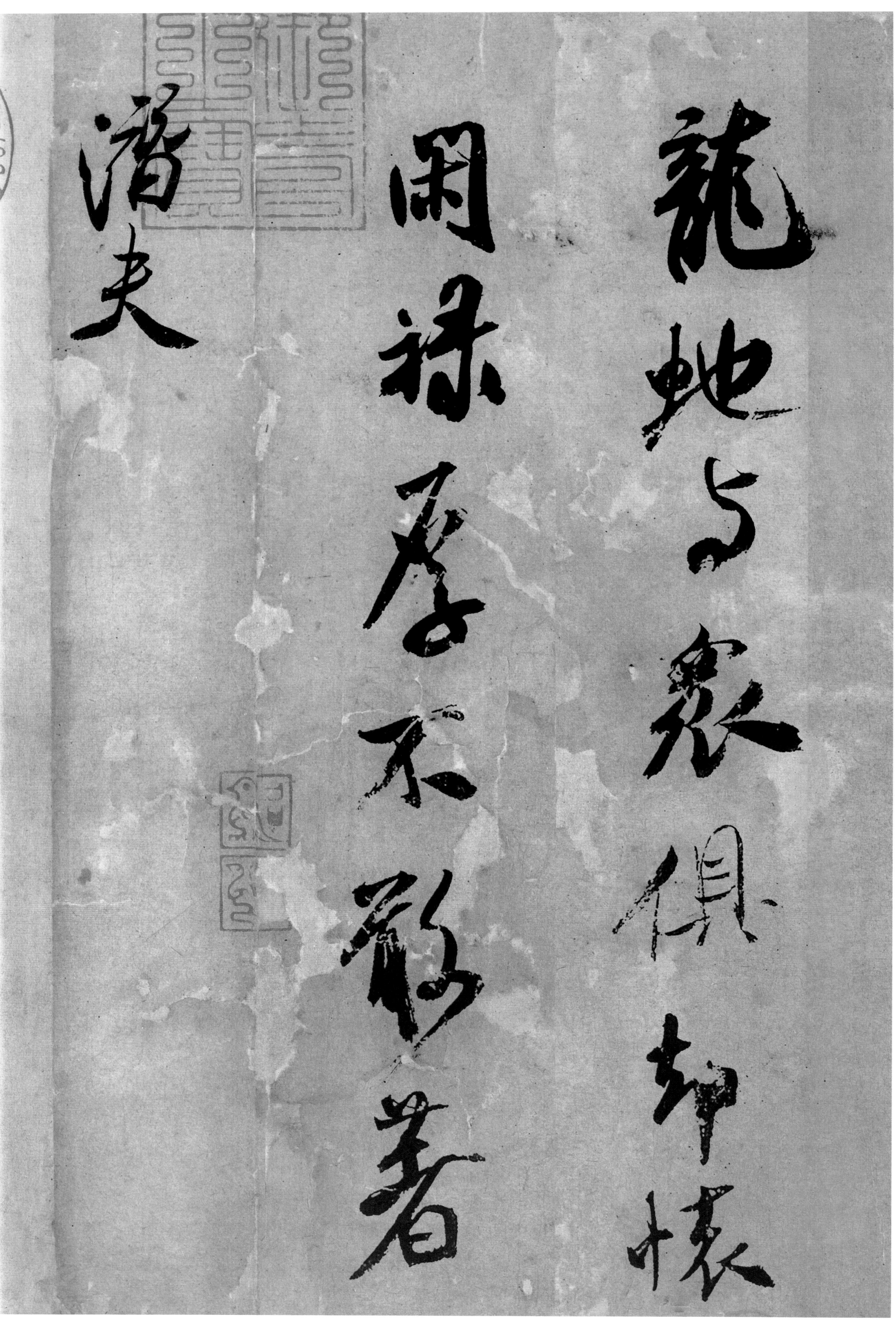

龍蛇与衆俱却懷閑禄厚不敢著潜夫

常貧須漫仕閑禄是身榮不託先生第終成俗吏名重緘議

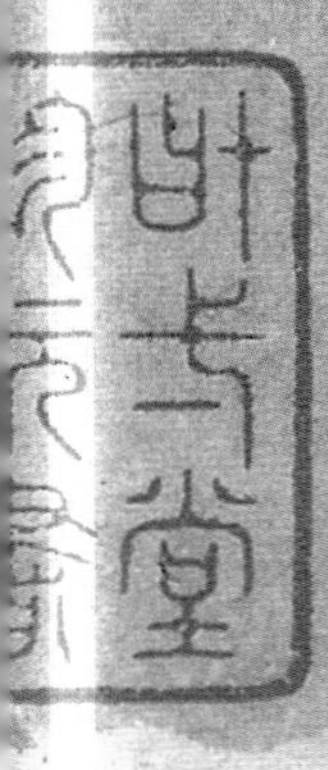

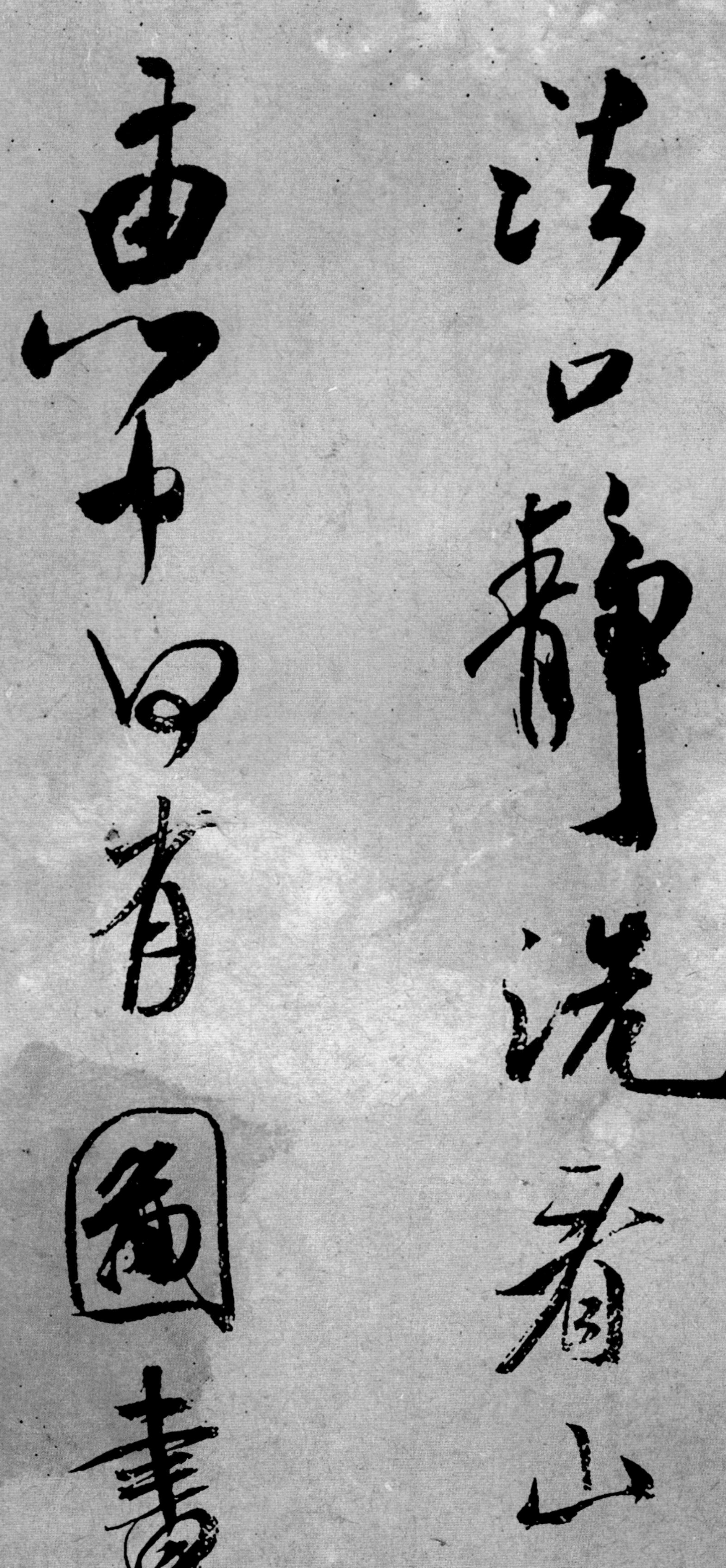

法口静洗看山晴夷惠中何有圖書老此生

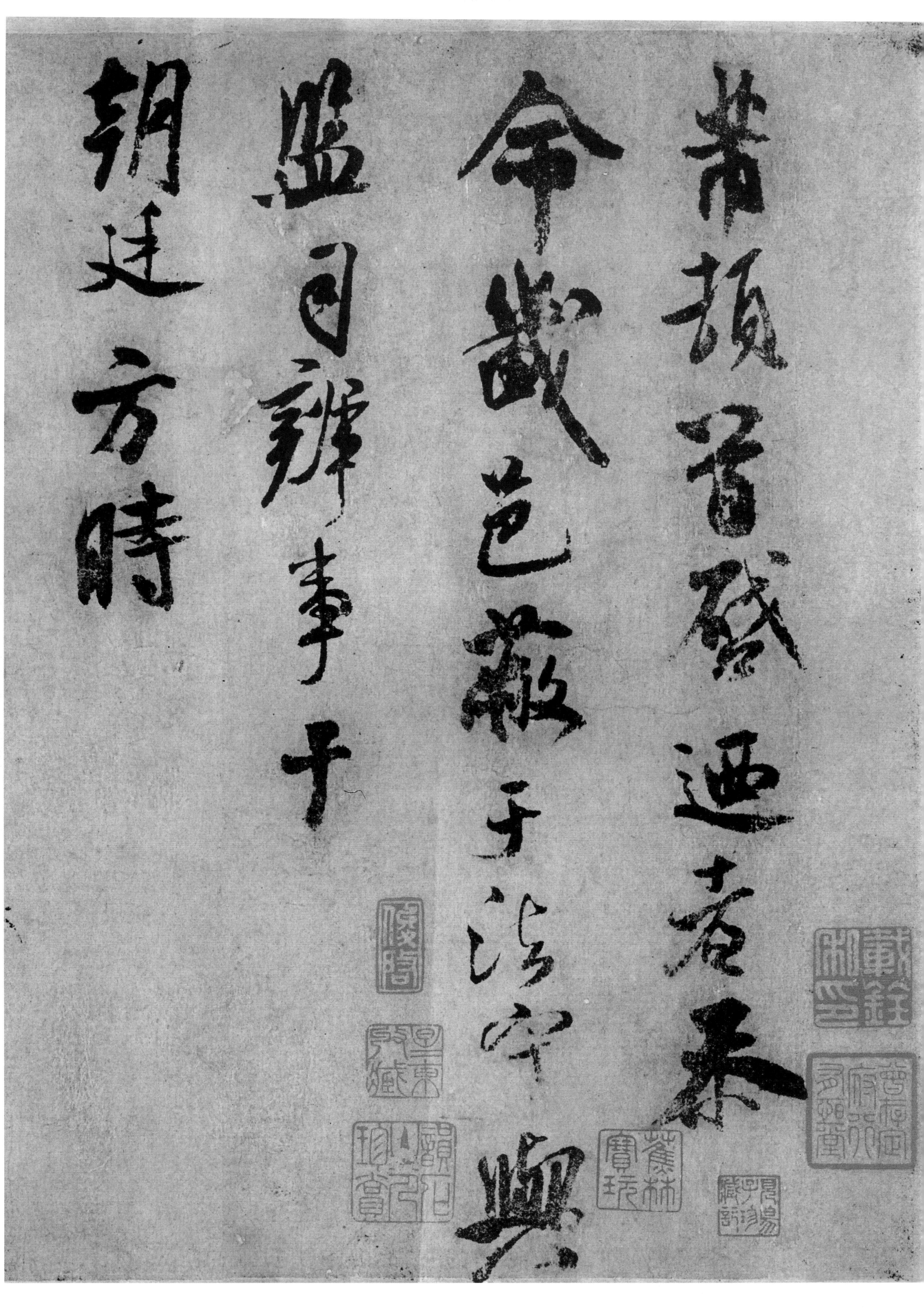

致樂兄同官帖

芾頓首啓迺者忝命畿邑蔽于法守與監司辨事于朝廷方時

清明大理丞司伏去年於
是請解以疾尚蒙
優恩出守廉賜少遂
江湖之心方圖善任而近
劉聲華念非久眞儀

清明大理監司伏辜於是請解以疾尚蒙優恩坐戶廪賜少遂江湖之心方圖再任而近制釐革念非久復僕

僕走黃塵未能高臥此爲恨也蒙故舊不遺枉書感愧感愧監□□中岳祠米芾頓首上樂兄同官閣下

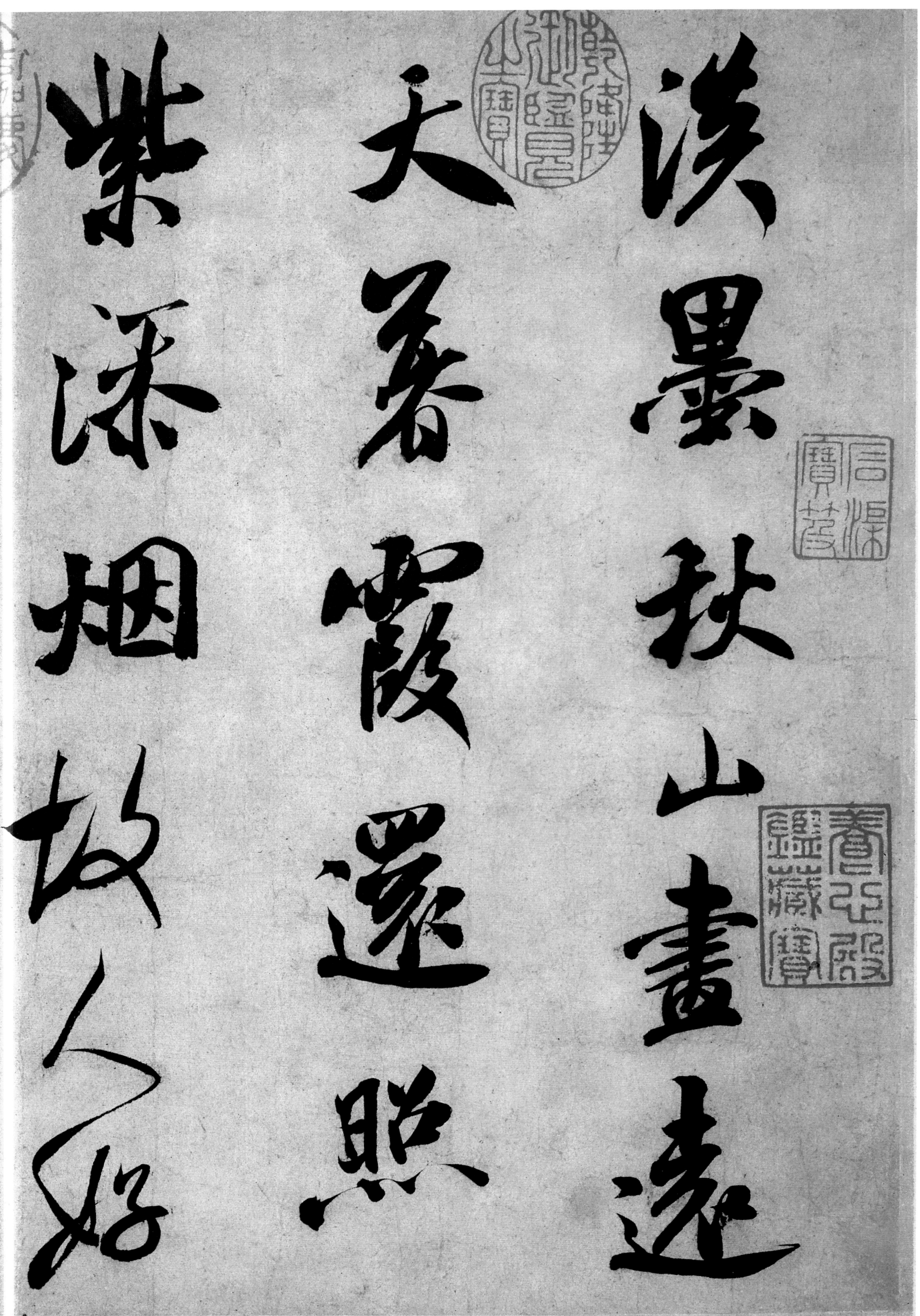

淡墨秋山詩帖

淡墨秋山畫遠天暮霞還照紫添烟故人好

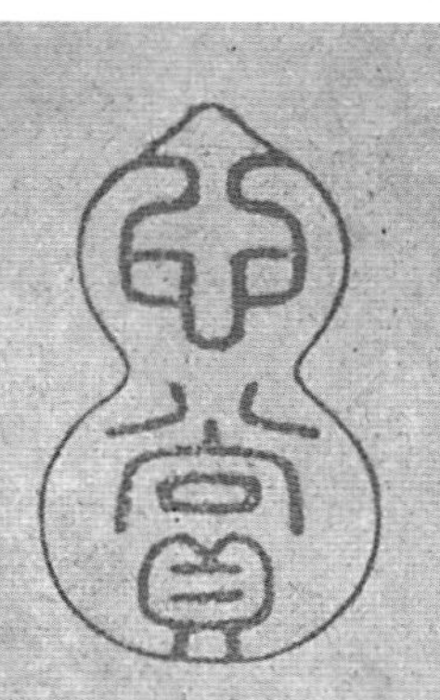

在重携手不到平山謾五年

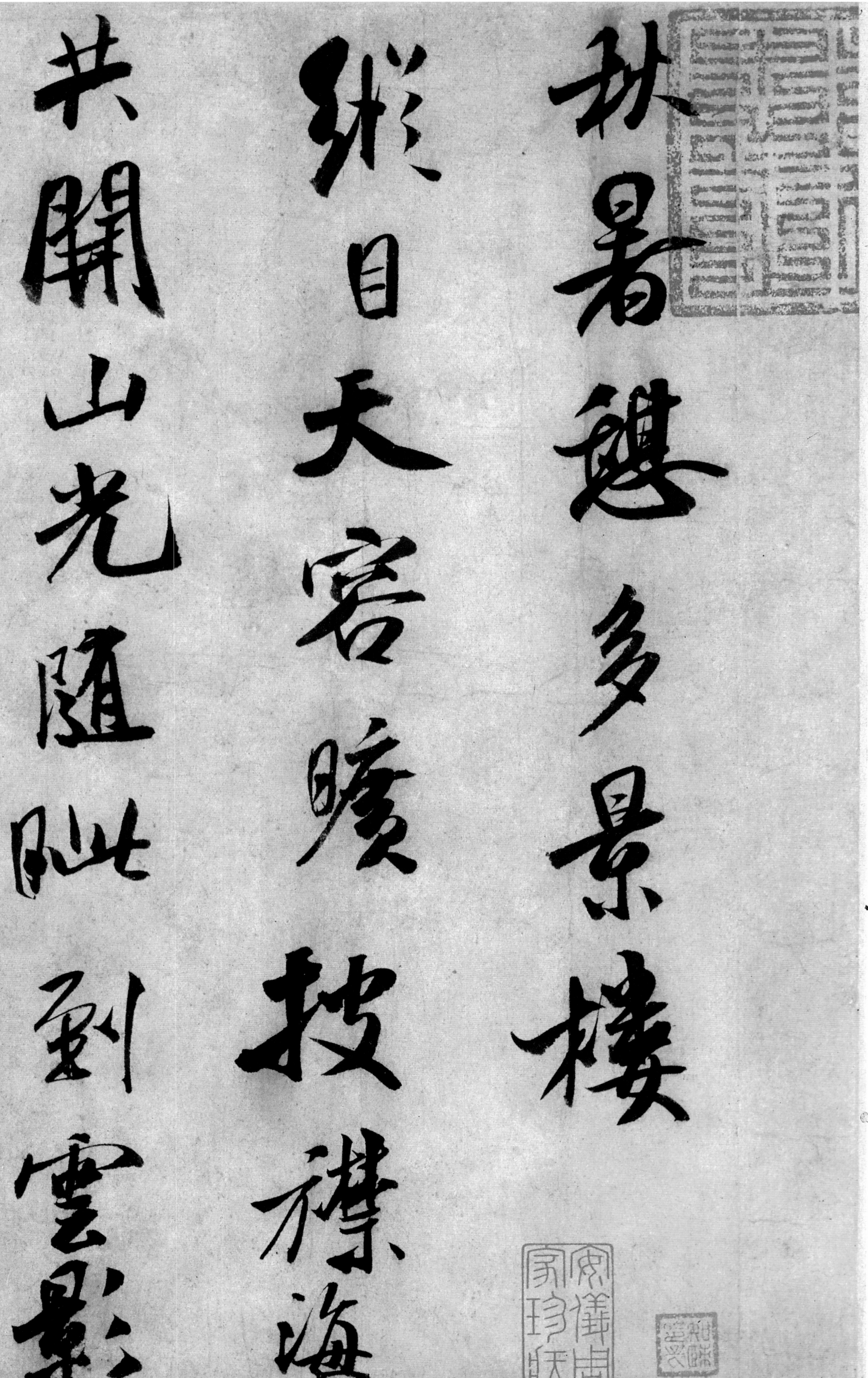

秋暑憩多景樓詩帖

縱目天容曠披襟海共開山光隨毗到雲影

度江來世界漸雙足(惟未入閩)生涯付一杯横風多景夢應似穆王臺

芾頓首再拜長至伏願制置發運左司學士主公議於清朝振

斯文於來世弥縫大業继古名臣芾不勝詹頌之至芾頓首再拜

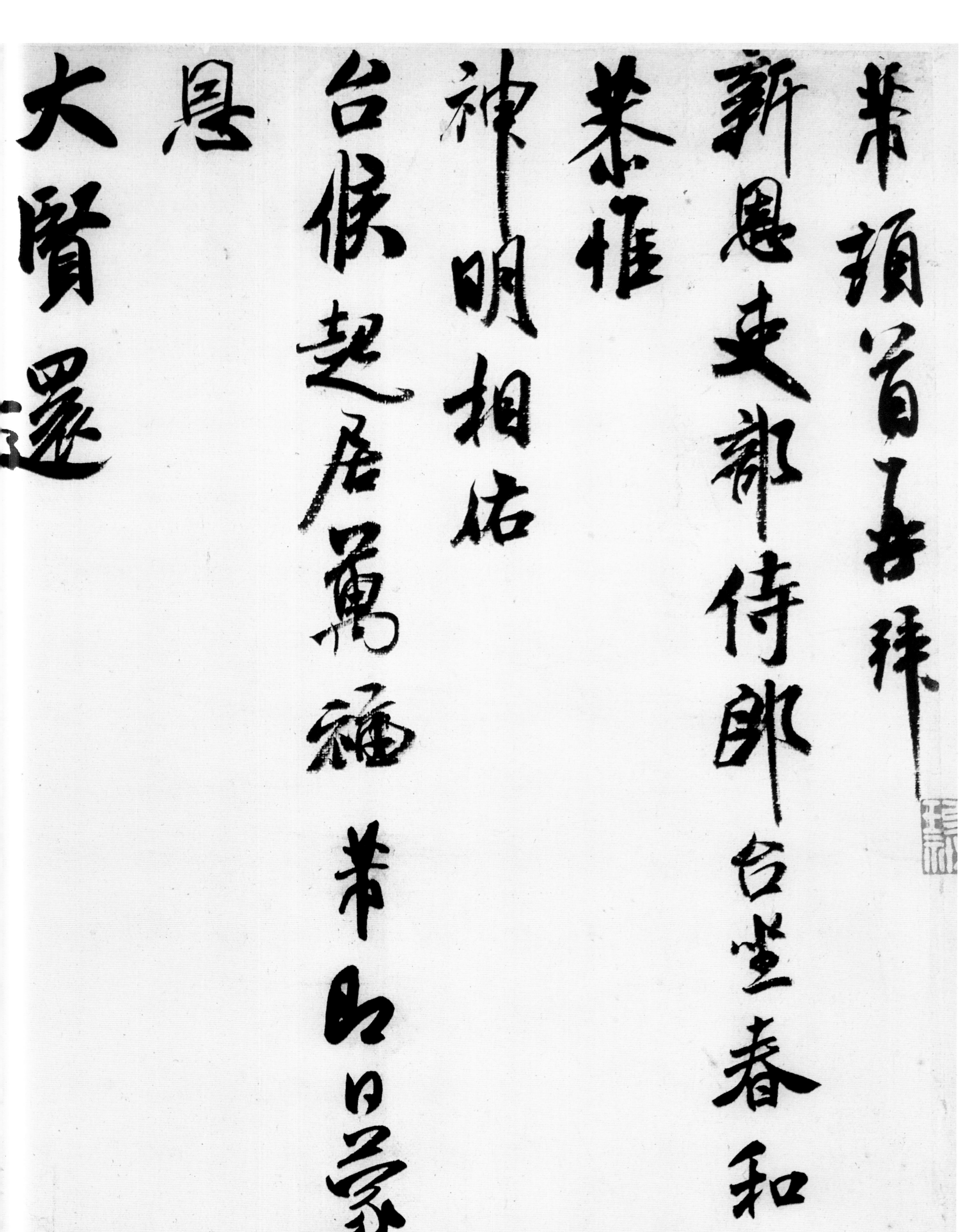

芾頓首再拜新恩吏部侍郎台坐春和恭惟神明相佑台候起居萬福芾即日蒙恩大賢還

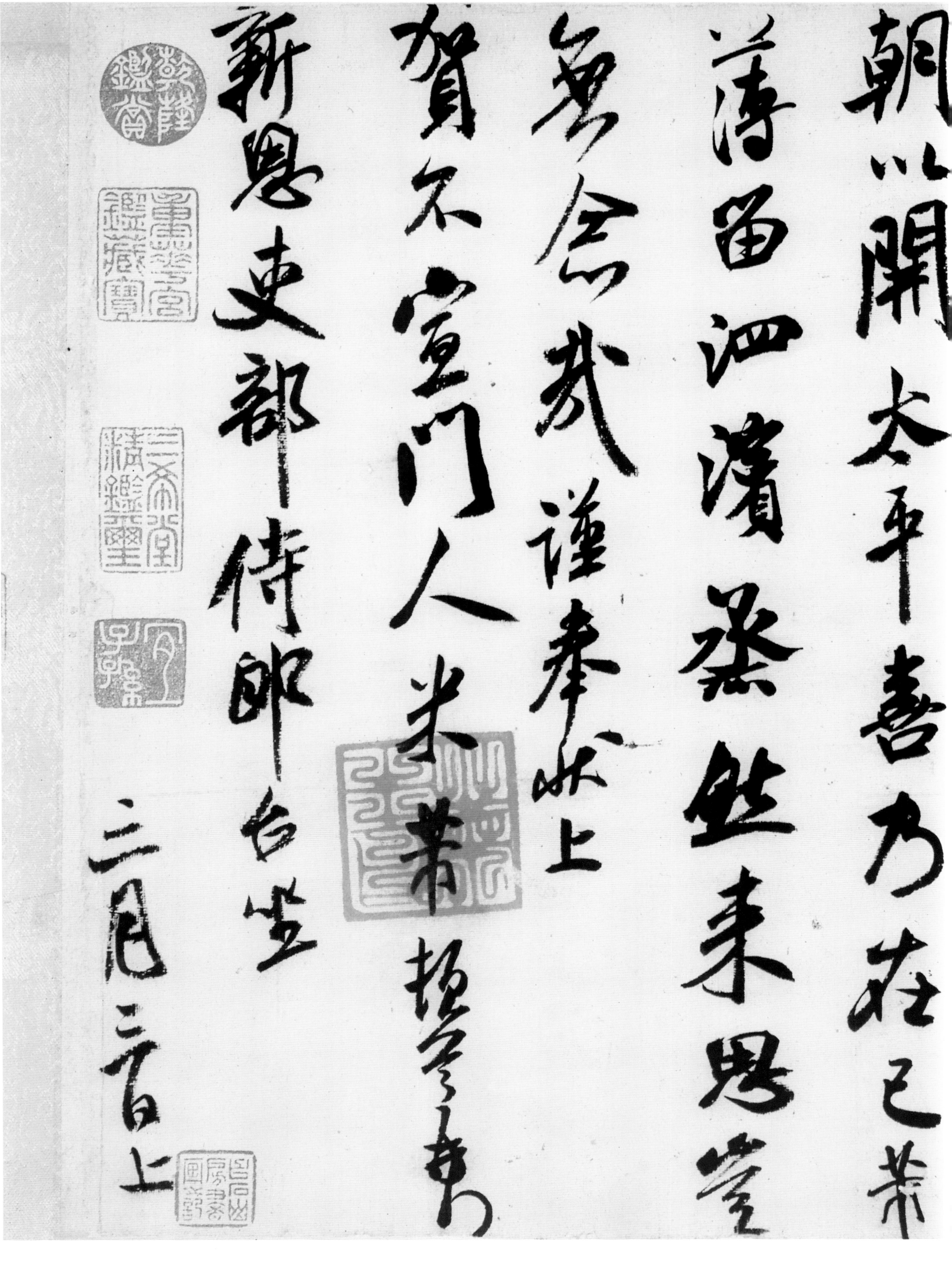

朝以開太平喜乃在已芾薄留泗濱烝然來思豈無念哉謹奉狀上賀不宣門人米芾頓首再拜新恩吏部侍郎台坐三月三日上

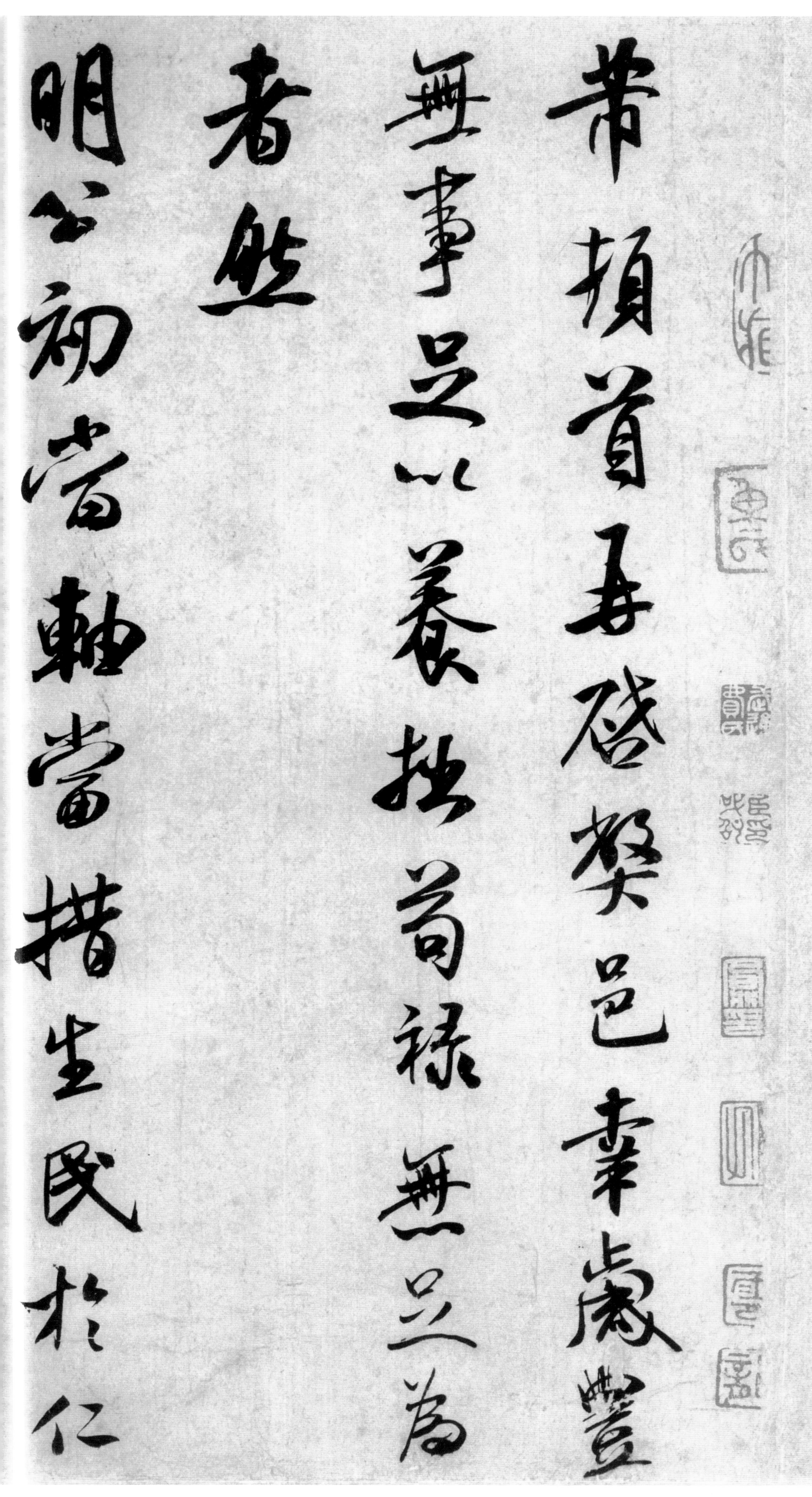

芾頓首再啓弊邑幸歲豐無事足以養拙苟禄無足爲者然明公初當軸當措生民於仁

壽縣令承流宣化惟日拭目傾聽徐与含靈共陶至化而已芾頓首再啓

壽縣令承流宣化惟日拭目傾聽徐与含靈共陶至化而已芾頓首再啓

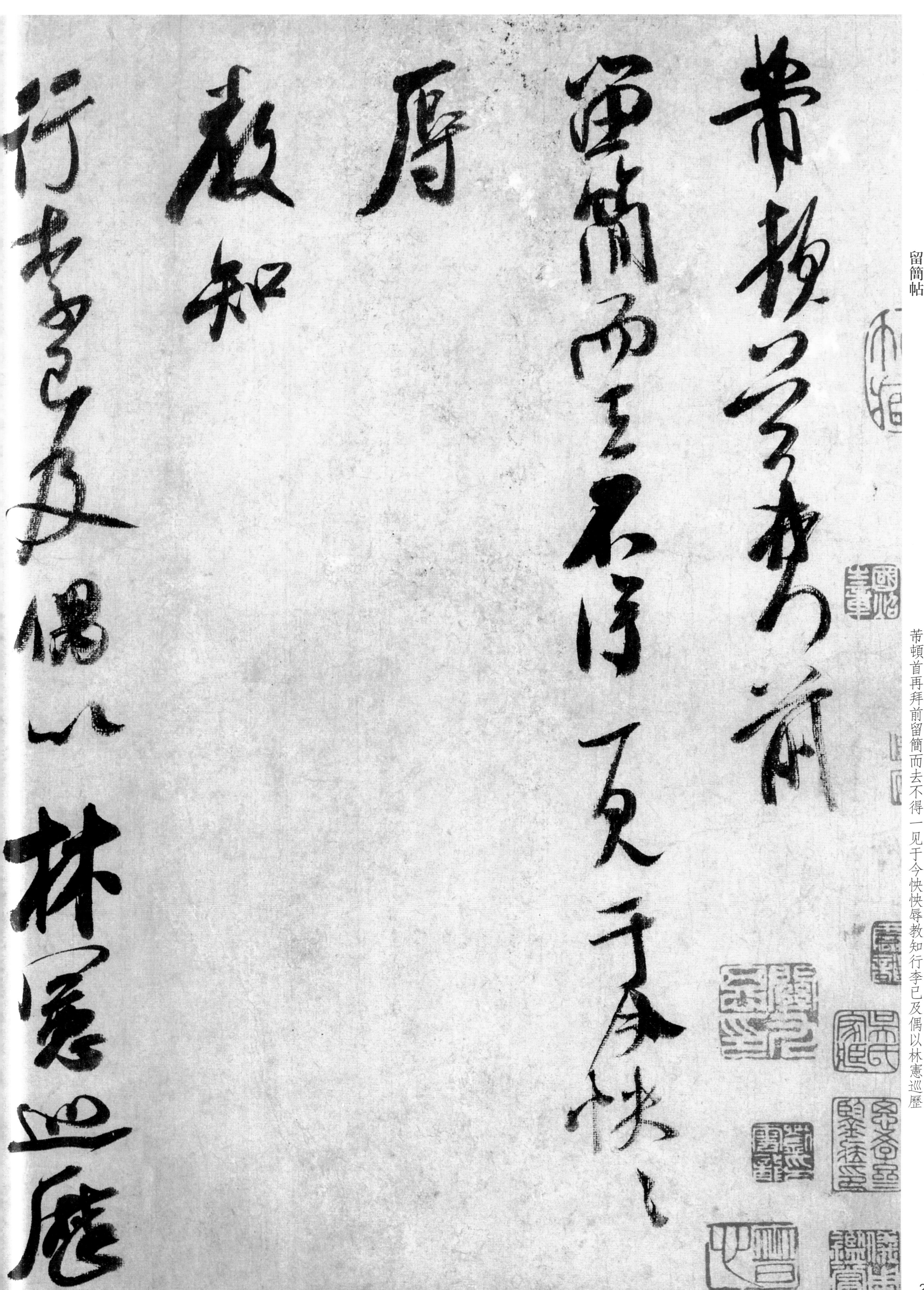

芾頓首再拜前留簡而去不得一见于今怏怏辱教知行李已及偶以林憲巡歷